Jakob Lehmann: FRANKEN – Fest der Sinne

Meiner Frau Liesel

Heinz L.

Franken

FEST DER SINNE

EIN BILDERBUCH VON *Hans Liska*

TEXT JAKOB LEHMANN

Selbstverlag ARGE Liska-Bücher, Bamberg   1.–20. Tausend 1980
Titelgestaltung: A. H. Kettmann, Bamberg
Reproduktion: Graphische Kunstanstalt Franz Kaufmann, Stuttgart
Gesamtherstellung: Fränkischer Tag, Bamberg
Auslieferung: Bayerische Verlagsanstalt GmbH, Lange Straße 22/24, 8600 Bamberg, Telefon 09 51 / 2 52 52
Printed in Germany
ISBN 3-87052-352-2

Titelseite: Historische Wappen repräsentieren Franken: die der Hochstifte Würzburg und Bamberg (obere Reihe), die der Markgrafschaften Ansbach-Bayreuth und der Freien Reichsstadt Nürnberg (untere Reihe), in der Mitte der fränkische Rechen.

Jakob Lehmann: FRANKEN – Fest der Sinne

„Franken ist ein gesegnetes Land."
Joh. Wolfg. v. Goethe

Wer den Bamberger Domplatz in Richtung Obere Karolinenstraße überquert, hat vor sich die Giebelseite der Neuen Residenz, mit der Ende des 17. Jahrhunderts Johann Leonhard Dientzenhofer barocker Fürstbischöflichkeit den angemessenen Rahmen schuf. Von ihrem Bauherrn, Lothar Franz von Schönborn, zugleich Erzbischof und Kurfürst von Mainz, hat uns Michel Hofmann berichtet, daß er, vor die Wahl gestellt, sich für eine allegorische Figurengruppe zur Krönung dieses frühbarocken Giebels zu entscheiden, nicht die sieben Planeten oder freien Künste, sondern die fünf Sinne gewählt habe. Seit dieser für den Barock bezeichnenden Wahl schauen fünf weibliche Gestalten von der Bergstadt hinaus ins fränkische Land. Sie sollen uns auf der fränkischen Wanderung begleiten, zu der Hans Liska mit Stift, Pinsel und einer bunten Palette einlädt!

SEHEN

„Die malerischste Flußlandschaft"
Josef Hofmiller

Franken ist wie ein Bilderbuch. Es schlägt sich jedem Betrachter gleichsam von selbst auf, wenn er von einem der vielen Aussichtspunkte – Staffelberg, Vogelsburg, Schwanberg, Waldstein – den Blick auf den „Gottesgarten" am Obermain oder in die Waldgebirge, ins sonnenerhellte Weinland oder in die melancholisch stille Grenzlandschaft genießt. Auch wer unten bleibt und hinaufschaut, bekommt überraschende Schönheiten zu Gesicht: Burgen und Kapellen, die „Dorfphantasie" von Tüchersfeld, „wie sie der Traum nicht schöner ausstaffieren könnte" (Fürst Pückler-Muskau). Die Fresken Tiepolos im schönsten Pfarrhaus der Welt, das duftige Pastell des phantasievollen Plafondstucks im Widerspiel mit der seidig-matten Wärme der eingelegten Fußböden, die Ornamentik der geschmiedeten Gitter und die Verzauberung durch Gobelins und Tapeten. Das Auge sieht sich kaum satt am Goldgelb der Raps- und Goldbraun der Weizenfelder, am satten Grün der Wiesen, am Silbergrau der Jurafelsen oder am flammenden Rot der bäuerlichen Geranienstöcke. „Es knallt mitunter vor Buntheit wie ein Bauernstrauß", schrieb Kurt Tucholsky. Solche Augenlust an der Natur setzt sich fort an den steinernen Ranken und Trauben des zum Bildstock modellierten Rebstocks. Und sie stillt sich am ockergelben Sand- oder roten Buntsandstein der kirchlichen und profanen Bauten, am roten Wellengang der sich Giebel an Giebel schmiegenden Häuser oder am Schieferdunkel stiller Frankenwaldorte. Eine „erlustierende Augenweide" bietet die grüne Architektur der Schloßgärten und Parks. (Veitshöchheim, Weikersheim, Ansbach, Eremitage), sinnenfroher Ausdruck überkommener Lust und Daseinsfreude. Unter den zahllosen Sehenswürdigkeiten verdienen wohl besondere Augen-Blicke die lächelnden und zugleich einen hintergründigen Schmerz verratenden Riemenschneider-Figuren. Zur herben Süße der feingliedrigen Frauengestalten mit freundlichem Oval des Gesichts, leicht umflorten Augen und in anmutiger Sinnlichkeit aufblühenden Lippen haben „marienholde Fränkinnen" Modell gestanden. Und noch heute tragen die Nachfahren die steilen Goldkronen der Effeltricher oder die Hauben der Hummelgauer Tracht. Der Heiterkeit solch sinnengeöffneter Daseinsfreude an Farben und Formen tut selbst ein Blick auf die Skelette in der Predella barocker Altäre oder die Martyrien von Heiligen keinen Abbruch. Sie sind ebenso Teil jenes währenden Spiels von Leben und Tod wie die dramatischen Szenen des Weltgerichts (im Tympanon der Portale), der Diskussion der Propheten und Apostel (an den Chorschranken) oder der Karfreitagsprozessionen (mittelalterlichen Passionsspielen vergleichbar). Die Theater, Freilichtbühnen und Spiele (Luisenburg, Rothenburg, Dinkelsbühl) teilen sich mit ihnen in dieser Aufgabe. Sehen, nach Dürer „der alleredelste Sinn des Menschen", erfaßt im Gesicht einer Landschaft deren Wesen: „Je tiefer, je reicher die Seele, desto geheimnisvoller der Spiegel des Antlitzes" (Wilhelm Steger). Das Optische dient mit der Sinngebung. Sie liegt in der „wunderbaren Verhältnismäßigkeit" dieser Landschaft, die – nach einem Wort Wilhelm Hausensteins – auch das Kleine groß macht.

HÖREN

Daß Deutschlands bedeutendster Minnesänger, Walther von der Vogelweide, im Würzburger Lusamgärtlein sein Grab gefunden hat, könnte von symbolischer Bedeutung sein fürs fränkische Land: Wer offen dafür ist, hört es überall singen und klingen, und das akustische Erleben verbindet sich auf das innigste dem optischen. Welch köstlicher Augen- und Ohrenschmaus, wenn im Würzburger Schloßpark Mozart oder in Ansbach Bach gespielt wird, wenn in der Nürnberger Lorenzkirche oder im Bamberger Dom die Orgel aufjubelt, wenn das Juwel des Bayreuther Markgrafentheaters um die Gunst von Gesichts- und Gehörsinn zugleich buhlt! Neben die hochsensible Differenzierung tritt die Vielfalt, neben die Fanfarenklänge vom Bayreuther Festspielhaus einer der Ohrwürmer aus Valentin Rathgebers „Ohren-vergnügendem und Gemüth-ergötzendem Tafelkonfekt". Zahl und Art der Instrumente im großen fränkischen Orchester sind kaum zu überblicken. Da mühen sich sechs Bläser beim frühmorgendlichen Flurumgang oder auf der Wallfahrt nach Gößweinstein, den zersungenen Melodien einen harmonischen Halt zu geben. Und sie tun es mit der gleichen Hingabe wie die Jagdhorn- oder Turmbläser, die Blasmusikanten beim Aufstellen des Kirchweihbaums oder beim Schützenfest. Gegen ihren Trompeten- und Posaunenschall anzureden, versucht man erst gar nicht.

Aber in den Pausen, vor und nach dem Gottesdienst, beim Frühschoppen, da muß man die Ohren spitzen für den oft von Dorf zu Dorf abschattierten Dialekt: drastisch und derb im Ausdruck, erdig wie der Wein, sinnenhaft-anschaulich wie die Landschaft, ein verläßliches Organ für den bedächtigen und doch beweglichen, schlagfertigen und schlitzohrigen Franken. – Zwar ist das Dengeln der Sensen ebenso selten geworden wie das Hämmern in alter Schmiede, aus zahlreichen Betrieben und Fabriken dringen neue Tonarten. Aber nur ein wenig abseits des nivellierenden Lärms der Autostraßen singt noch die Natur ihre Melodien, und in Bach- und Flußläufen rauschen Mühl- und Wasserschöpfräder. Was Friedrich Schnack gepriesen hat, gilt noch immer: „Die Brunnen rauschen unter süßen Linden, Die Bienenwolken sprühn wie goldnes Licht". In der fast ungestörten Ruhe der Wälder kann man ganz Ohr sein für das Konzert der Vögel und zwischen Dorf und Flur

dem Zirpen der Grillen und Quaken der Frösche vom nächsten Weiher Gehör schenken. Die Namen der Flur- und Waldstücke, der Weinorte und Weinsorten sind wie ein Echo des Klangreichtums der Natur, dreimal am Tag und mehr begleitet vom bald ein-, bald mehrstimmigen Ruf der Glocken aus ungezählten Kirchtürmen.

FÜHLEN

Sehen und Hören genügen nicht. Man muß dem steinernen oder hölzernen Faltenwurf einer Statue mit den Fingern folgen, wie man einen Creußener Krug, eine Selber Porzellankanne, ein Spessartglas oder ein fränkisches Gewebe in der Hand gehalten haben soll. Zum Erlebnis der Tropfsteinhöhle oder des Burgverlieses gehört deren feuchte Kühle, zu dem des Jurabaches seine glasklare Frische, zu dem des Steigerwalds seine wohlige Wärme.

Die zahlreichen fränkischen Badeorte heilen u.a. mit solchem Temperieren. Plastische Körperlichkeit, gepaart mit der seidigen Glätte der Intarsien an altfränkischen Möbeln und Schnitzarbeiten oder den nach historischen Vorbildern gefertigten Cembalos läßt sich nur ertasten. So bleiben Maß und Proportion nicht ästhetische Theorie, sondern sind gestalthaft gegenwärtig. Ihnen gesellt sich der Rhythmus, der in die Beine geht, wenn man eine der zahlreichen Treppenanlagen hinaufsteigt: die Freitreppe vor Rathäusern und Klöstern, die Wendeltreppe in Ansitzen und Burgen, den bucklig gepflasterten Treppenweg in dem fränkischen Hügelland angepaßten Städtchen, den steilen Stationsweg, den mühsam zu erklimmenden Weinbergpfad oder auch – als immer neu erregendes Erleben – eines der festlich-strahlenden Treppenhäuser in Würzburg, Ebrach oder Pommersfelden. Nur im Schreiten erfassen wir die Dynamik und menschliche Beschwingtheit des Zeitgeistes. Das gilt auch für den Reigen, den Balthasar Neumann mit seinem Gnadenaltar mitten in der Basilika von Vierzehnheiligen aufführt, Kernstück des mitreißenden Balletts der steinernen Paare von Säulen und Gurten, der schwebenden und schwingenden Gewölbe. – Der fränkische Sinn für fließende Formen und sanfte Wölbungen, der nichts Aufgeregt-Nervöses duldet, erprobt sich

im Alltäglichen, am Bocksbeutel, dem „Fränkischsten, das es gibt auf der Welt" (Horst Krüger). Er gehört zum zwar aufwendigen, aber leidenschaftlich verteidigten Zeremoniell fränkischen Weintrinkens. Sein In-die-Hand-Nehmen, das Fühlen seiner Form und Temperatur, sein bedächtiges Öffnen, Eingießen und erstes Kosten – das kann fürwahr zum „erotisierenden Vorspiel beim Bacchusfest" (Horst Krüger) werden. Der auf Java verstorbene Würzburger Max Dauthendey sagte es direkter, fränkischer: „Und hinterm Hemd die Brüstle, no,/Dran tapp ich voll Gelüstle,/Wieg sie wie Träuble in der Hand,/Und lab' mich dran, wie Moses froh,/Als er kam zum gelobten Land/Verdurstet aus dem Wüstle."

RIECHEN

*„Bei Blütenhauch und Maienduft
Entschweben die Gedanken
Vergnüglich durch die blaue Luft
Zum biedern Land der Franken."*
Viktor von Scheffel

Wer beim Herbsten die alten Weinorte aufsucht, den umfängt ein schwerer Geruch süßer Fäulnis, der in seiner Intensität nur in den gewölbten Kellern übertroffen wird, wenn zum Geruch von Maische, Treber und Most Zersetzung und Gärung das Geheimnis der Reifung des Weins bewirken. Mischt sich der Duft des hausgebackenen Brotes oder eines frischen Zwiebelkuchens dazu, dann ist des Feierns bei Federweißem, Reißer und Sauser kein Ende. Aber die fränkische Duftpalette reicht weiter. Sie schließt das Aroma frischen Obstes ebenso ein wie den Geruch von Pilzen und Beeren, süßer Zuckerrüben und qualmender Kartoffelfeuer im Herbst.

Sie signalisieren das bäuerliche Element Frankens wie der den frischgeackerten Feldern des Gäubodens entströmende Erdgeruch, gerundet zur ländlichen Duftsinfonie im Reigen der Jahreszeiten durch Heu, Getreide, Grummet und die stattlichen Misthaufen. – Daß der Franke aus den Weihrauchwolken der Kirche unmittelbar in den Tabaksqualm des Wirtshauses überwechselt, also den Segen nicht erst nach Hause trägt, ist Herkommen. Der früher verbreitete herbe und würzige Geruch des Hopfens – wer braute, baute ihn selbst – ist selten geworden. Aber den süßlichen Geschmack des Malzes gibt es zu bestimmten Zeiten noch immer über ganzen Stadtteilen. Zu Kirchweih, Erstkommunion, Konfirmation und Hochzeit duftet es nach Krapfen oder Küchla, während im Advent auf den Christkindlesmärkten die Lebkuchen der Mainbernheimer oder Nürnberger Peterlesboum, die Dettelbacher Muskazinen und andere Leckereien aus Honig, Mandeln, Nüssen und aromatischen Gewürzen die weihnachtlichen Gelüste nicht nur der Kinder wecken. Den Ablauf des ganzen Kirchenjahres begleiten duftende Gaben aus Garten, Flur und Wald an den Heiligen Gräbern, Mai- und Fronleichnamsaltären, zum Erntedank und am Friedhof. Und vor Winteranfang werden die gesammelten heilkräftigen Kräuter vom Boden geholt, gesichtet und zur Verwendung bereitgehalten. Wer schließlich an einem lauschigen Sommerabend einer Serenade in einem der vielen Schloß- oder Rosengärten lauscht, behält den Duft der Buchsrabatten und Taxushecken zum Klang der Musik und zum Spiel der Lichter und Schatten in bleibender Erinnerung und begreift, was die Romantiker, die ja das fränkische Flair neu entdeckten, mit dem Stilmittel der Synästhesie, d.h. der Verschmelzung der Sinnesempfindungen, anstrebten.

SCHMECKEN

*„Der edlen Franckenreben safft
gibt guten Muet und newe kraft."*
Johann Mohr (1664)

Die aufgeklärten Reisenden des 18. Jahrhunderts mußten bei aller Kritik am Altfränkischen voll Neid zugeben, daß die geistlichen Herrn die guten Gegenden wohl auszusuchen wußten: man werde kein Stift finden – und das Stiftsland Franken war ja der Vorhof zur Pfaffengasse des Reiches –, das nicht das beste Land und den fettesten Boden der ganzen Provinz besitze. Übereinstimmend berichten auch frühere Zeugen, von „ziemlich Weinwuchs, Getrayde, Baumfrüchten, Süßholz in der Menge und anderem mehr, als gute Zwiebeln, Saffran, Melonen und dergleichen Früchten" (Martinus Zellerus, 1660). Bis heute hat die Natur aus ihrem Füllhorn Franken mit Gaben überschüttet, und die vielen originellen, zur Einkehr ladenden Wirtshausausleger verführen zu kulinarischen Köstlichkeiten und Spezialitäten aufgrund altüberlieferter Rezepte. Deutschlands „kleines Italien" hält dazu ausgesuchte Gaumenfreuden bereit: leckeren Spargel oder den von den Krenweiblein bis ins Bayerische angebotenen Meerrettich; Wiesentforellen und Karpfen aus dem Aisch- oder Aurachgrund; Zander und Meefischli aus Würzburg; oder so Deftiges wie Kraut und Knöchla, eine Häckerbrotzeit mit Gurkli oder fränkische Klöß, Klüs oder

Kniedla. Sie müssen weiß und durch sein, wenn sie zerrissen werden, um für die Aufnahme der Bratensauce faserig zu bleiben. Die Choreographie der Bratwürste beginnt mit kleinfingergroßen in Nürnberg. Etwas länger und „zwa in an Labla" munden sie in Bamberg. Dick, deftig, aber ebenso rostgebraten bietet sie Coburg, nach Meterlänge Sulzfeld an. Schließlich gibt es sie in säuerlichem Zwiebelsud blaugesotten und als Bauernseufzer, ein paar Seufzer lang im Kamin geräuchert. Wer sich einen individuellen Geschmack bewahrt hat, ist mit Frankens wohlfeiler Küche gut beraten.

Zum genußreichen Schmaus schmeckt das noch in vielen kleinen Brauereien eigengebraute Bier: hell, dunkel oder von mittlerer Bräune; als Ungespundetes oder als delikates Rauchbier, kredenzt noch in Halblitergläsern oder -krügen, die in Ochsenfurt die Form eines Kauzes haben. „A Kaffee ohne Hörnla is (zumindest für die Bamberger) wie a Kuß ohne Schnörnla." – Die Grenze zwischen dem Reben- und Gerstensaftland ist durchlässig geworden, und einen E.T.A. Hoffmann, der das Bier als geist- und seelenloses Gebräu, das beschwert und einschläfert, verachtete, widerlegen Jean Paul und Hegel mit ihrem emphatischen Bierlob. Beide Getränke aber schließen den Franken, den Heuss den „Sanguiniker unter den Deutschen" genannt hat, auf und zeigen ihn – bei allem Mißtrauen Fremdem und Neuem gegenüber – in gewitzter und hintergründiger Schlagfertigkeit. Dazu bedarf es keiner scharfen Stimulantien, sondern lediglich der erwarteten Befriedigung seiner Gaumenlust als Lebenskunst.

EPILOG

„Pan, der Hirte, spielt und trunken
Ist die Welt vom Schlummerweine."
Friedrich Rückert

Zum fränkischen Fest der Sinne ist eingeladen, wer sich Zeit dafür läßt, sich mit ihm einläßt und die Hetze des Alltags hinter sich läßt. Natürlich gibt es auch ein Franken der nüchternen Welt der Arbeit, Wirtschaft und Technik. In der Nachfolge berühmter Söhne (Peter Henlein, Martin Beheim, Adam Riese, Regiomontan) steht es keineswegs anderen nach, wenn auch die nahe deutsch-deutsche Grenze Randzonen noch mehr isoliert hat. – Sinnesgegenwart und -schärfe aber sind kein Gegensatz zur Geistigkeit, werden nicht auf Sex verkürzt und schließen den Gebrauch des Intellekts nicht

aus. Das Sinnenfrohe, das auf den folgenden Blättern seinen zeichnerischen Ausdruck findet, geht nicht nur unter sich, in der Vermählung der Sinne, sondern auch mit dem Para- und Übersinnlichen enge Verbindungen ein: Profanes mischt sich mit Sakralem, und das nicht nur auf Weinetiketten wie Abtsleite, Paradiesgärtlein, Pfaffenberg. Kult und Brauch (wie das Walberlafest oder die Fasalecken) binden Jenseitiges ans Irdische und bewahren in solch heiterer Frömmigkeit vor Bigotterie und inhumaner Unduldsamkeit. Märchen und Sagen wissen von vielen Orten mit Kobolden und Dämonen, und E.T.A. Hoffmanns Spukgestalten, die seines Verlegers Steinwein entstiegen, begegnen auch noch heutigen Zechern. Zur Geisterstunde entlassen viele Höhlen ihre Gespenster. Im jasminschweren Duft der Pan-Stunde steigen die Putten, Schäferinnen und Nymphen von ihren zerbröckelnden Balustraden oder bemoosten Postamenten, eine Balgerei bzw. ein galantes Tänzchen zwischen den Rabatten zu wagen. Und im fahlen Mondschein wird es im Spukschloß im Spessart lebendig. Charmantestes Zeugnis solch empfindsamen Spiels mit Gefühlen zwischen Traum und Wirklichkeit ist Sanspareil. Seine Felsengebilde wurden der hochsensiblen Markgräfin Wilhelmine, Schwester Friedrichs des Großen, zur Grotte der Kalypso und sein Hain zur Insel Ogygia, Leben und Traum in eins verwebend, ein fränkisches „exemple sans pareil" – „Beispiel ohnegleichen".

FRANCONIA – A Feast For The Senses

"Franconia is a land endowed with blessings."
(Goethe, Götz)

Crossing the square in front of Bamberg's cathedral in the direction of Obere Karolinenstrasse we see before us the gable end of the New Residence, designed in the late years of the seventeenth century by Johann Leonhard Dientzenhofer as a worthy setting for the prince bishops. Michel Hofmann tells us, that its owner, Lothar Franz von Schönborn, both Archbishop of Bamberg and Prince Elector of Mainz, chose an allegorical group of figures to top the gables, rather than the symbols of the seven planets or the liberal arts. Since then, those five female figures – characteristic of the baroque period and representing the five senses – have gazed out across Franconia from the town on the hills. They shall be our companions as we ramble through Franconia at the invitation of Hans Liska's colourful paintings and drawings.

SIGHT

"The most picturesque countryside of rivers."
(Josef Hofmiller)

Franconia is like a picture book. Its pages turn for us automatically if we stand on one of the many vantage points – Staffelberg, Vogelsburg, Schwanberg or Waldstein perhaps – and enjoy the view across "the Garden of Eden" on the Upper Main, or look over to wood-studded hills, sundrenched vineyards or the silent, melancholy countryside along the Czechoslovakian and East German borders. Or if we go down into the valleys and look up, our gaze is met by the overwhelming beauty of castles and churches, the fairytale village of Tüchersfeld "lovelier than in any dream" (Fürst Pückler-Muskau), the frescoes which Tieopolo painted in the world's most beautiful vicarage, the interplay of the delicate pastel shades of imaginative ceiling stucco with the silky warmth of marquetry flooring, the ornamentation on

LA FRANCONIE : Une fête pour les sens

«La Franconie est un pays béni des dieux»
Goethe, Götz

Le visiteur qui traverse la place de la cathédrale à Bamberg pour se diriger vers la Obere Karolinenstraße a devant lui avec le frontispice de la Nouvelle Résidence le cadre baroque idéal que Johann Leonhard Dientzenhofer a voulu donner à la ville des Princes Evêques à la fin du XVIIème siècle. Michel Hofmann nous rapporte que le maître des lieux, Lothar Franz von Schönborn, également archevêque et prince électeur de Mayence, choisit pour couronner le fronton baroque non pas les sept planètes ou les sept arts libéraux mais un groupe de figures allégoriques représentant les cinq sens. Depuis lors, cinq personnages féminins, bien caractéristiques de l'art baroque, dominent du haut de la colline tout le pays franconien. Ils nous accompagneront au cours de cette promenade à laquelle nous convie Hans Liska avec son crayon, son pinceau et sa riche palette.

VOIR

«Le plus pittoresque des paysages jamais formés par des rivières»
Josef Hofmiller

La Franconie est comme un livre d'images. Elle s'ouvre d'elle-même à tous les visiteurs qui, de l'un des nombreux points de vue qu'offre la région (Staffelberg, Vogelsburg, Schwanberg, Waldstein), portent leur regard sur le «Jardin des Dieux» sur le Haut-Main ou sur les montagnes couvertes de forêts, ou encore sur le vignoble ensoleillé ou le paysage proche de la frontière de l'Allemagne de l'Est, tout empreint d'une douce mélancolie. Mais, même pour qui veut rester dans la plaine, il suffit de lever les yeux pour embrasser du regard des beautés insoupçonnées: des châteaux, des chapelles, la «fantaisie villageoise» de Tüchersfeld «qu'on ne pourrait rêver plus belle» (prince Pückler-Muskau), les fresques de Tiepolo dans le plus beau presbytère du monde, le pastel vaporeux des stucs des plafonds qui joue avec les couleurs chaudes, soyeuses et mates des parquets marquetés, les ornements des

wrought-iron screens and the enchantment of tapestries and gobelins. "Their colours are as vivid as those in any bunch of wild flowers", wrote Kurt Tucholsky. And the eyes drink their fill of wayside shrines – stone replicas of vines and grapes –, sacred and profane buildings constructed in ochre-coloured or new red sandstone, red seas of houses, their gables nestling into one another, or the dark-grey slate roofs of quiet villages in the Franconian forest. The green landscape gardens of the palaces at Veitshöchheim, Weikersheim, Ansbach and Eremitage are a sight for sore eyes. And the figures carved by Riemenschneider, the smile on their faces mixed with a trace of anguish, are some of the many art treasures not to be missed. Young Franconian women, as lovely as the Virgin Mary herself, acted as models for these delicate-limbed figures with their oval-shaped faces, their eyes teardimmed and their sensual lips. Today, their descendants still wear the tall gold crowns or the bonnets of the traditional costumes of Effeltrich or Hummelgau. Even a glance at the reliquary of a saint in a baroque altar or a picture showing the torture of a martyr cannot diminish our unbounded joy in the presence of living forms and colours. For these are just as much part of that eternal play acted out between life and death, as are the dramatic scenes of the Last Judgement carved into the tympanon of church doorways, the discussion between the prophets and apostles shown on numerous choir screens or the processions seen on Good Friday, similar in nature to the medieval passion plays. And today, many of the productions put on in theatres, on open-air stages or yearly at Luisenburg, Rothenburg and Dinkelsbühl are contributions in their way to this never-ending play. "Sight", said Dürer, "is the noblest of all Man's senses", for the eyes can look beyond the face of the countryside and grasp its very soul. "The more profound and noble the soul, the more mysterious will be its reflection in the face", said Wilhelm Steger. The optical impression reveals the very being of the Franconian countryside which lies, claimed Wilhelm Hausenstein, in its "even proportions" and its ability to "magnify even the smallest of things".

grilles enfer forgé et l'enchantement des Gobelins et des tapisseries. L'oeil ne peut se lasser de contempler le jaune d'or des champs de colza, le brun doré des champs de blé, le vert soutenu des prairies, le gris argenté des rochers du Jura ou le rouge flamboyant des géraniums dans les fermes. «Les couleurs sont parfois aussi éclatantes que dans un bouquet de fleurs des champs», écrit à ce propos K. Tucholsky.
Le plaisir que donne le spectacle de la nature se prolonge à la vue des statues des saints, copie en pierre des grappes et des sarments; et il finit par s'apaiser à la vue des grès ocre ou rouge qui ont servi aux bâtisseurs des monuments civils et religieux, devant l'onde rouge que forment les maisons serrant leurs pignons les uns contre les autres ou devant l'ardoise sombre des villages tranquilles de la Forêt Franconienne. Et quel régal pour l'oeil que l'ordonnancement des jardins entourant les châteaux de Veitshöchheim, Weikersheim, Ansbach, Eremitage.! Parmi toutes les curiosités qui méritent vraiment un coup d'oeil n'oublions pas les statues de Riemenschneider qui derrière leur sourire trahissent quelque douleur secrète. Et ce sont des Franconiennes, ferventes du culte de la Vierge, qui ont servi de modèles à ces personnages féminins aux membres délicats, au visage ovale, au regard légèrement voilé et aux lèvres délicieusement sensuelles. Leurs descendantes portent encore aujourd'hui avec leur costume traditionnel de grandes couronnes dorées à Effeltrich ou des coiffes à Hummelgau. Un coup d'oeil jeté aux squelettes représentés sur la prédelle des autels baroques ou sur les martyres des saints n'enlève rien à la gaieté, à la sensualité et à la joie de vivre que révèlent ces couleurs et ces formes. Ils participent en effet à ce jeu éternel de la vie et de la mort, tout comme les scènes dramatiques du Jugement Dernier (au tympan des portails), du dialogue des Prophètes et des Apôtres (à la clôture des choeurs) ou de la Procession du Vendredi-Saint (comparable aux jeux de la Passion au Moyen-Age). Les théâtres, les scènes en plein air et les festivals (Luisenburg, Rothenburg, Dinkelsbühl) remplissent la même fonction que ces représentations figurées. La vue, d'après Dürer «le plus noble des sens», saisit d'un seul coup l'essence d'un paysage. «Plus une âme est riche, plus elle est profonde et plus le miroir de son visage est mystérieux (Wilhelm Steger). L'élément optique dévoile le sens du paysage, c'est à dire ces «merveilleuses proportions» qui, selon le mot de Wilhelm Hausenstein, grandissent même ce qui est petit.

HEARING

*"The blackbirds have drunk of the sun
And their songs sound from every garden."*
(Max Dauthendey)

The fact that Germany's most notable minnesinger, Walther von der Vogelweide, has been laid to rest in the Lusamgärtlein in Würzburg could be of symbolic importance for Franconia: for if we listen carefully we can still hear his songs echoing from every corner and impressions gleaned by the eye and ear blend in perfect harmony. What a feast for the senses when Mozart's music is played in the palace grounds at Würzburg or when the notes of Bach echo across Ansbach; when the organ sounds in the Church of St. Lorenz in Nürnberg and from the cathedral at Bamberg; or when the eye and ear are wooed together by the splendour of the Markgrafentheater at Bayreuth. The finest shades of nuance go hand in hand with the richness of variety, as do a fanfare played in the opera house at Bayreuth and one of the haunting tunes from Valentin Rathgeber's "Ohren-Vergnügendem und Gemüthergötzendem Tafelkonfekt". The varied instruments in Franconia's large orchestra are far too numerous to count. Six brass players mark the rhythm of the tunes sung in an early-morning procession through the fields or on a pilgrimage to Gößweinstein – and they do it with the same dedication as the brass instrumentalists at a yearly gathering of riflemen or when a tree is set up at the start of a local kermis. It is pointless to try and talk above the blast of their trumpets and trombones. But in the interval between pieces, before and after church services and over an early-morning glass of wine we should prick up our ears and listen for variations in the dialect from village to village – a dialect which is often harsh and vulgar in its mode of expression, earthy as the local wine and graphic as the countryside: in short, it is a reliable mouthpiece for the cautious yet adaptable, quick-witted but shrewd Franconians. The sound of scythes being sharpened or the noise of hammering coming from the forges is rare today, it is true; a new range of sounds now fills the factories and workshops. But not far away from the monotonous hum of the motorways Nature still sings her song in the melody of mill and water wheels turning in the streams and rivers. The beauties of Nature celebrated by Friedrich Schnack can still be found today in "fountains playing under sweet-smelling lime trees and clouds of bees darting like a shaft of golden light". In the almost unbroken peace of the woods we

ENTENDRE

«Les merles ont bu le soleil,
De tous les jardins
Résonnent leurs chants»
Max Dauthendey

Que Walther von der Vogelweide, le plus célèbre des Minnesinger allemands, repose à Würzbourg, au Lusamgärtlein, voilà qui peut avoir valeur de symbole pour le pays franconien: pour qui sait prêter l'oreille, ce pays n'est que chants et musique, partout les impressions auditives s'y mêlent étroitement aux sensations visuelles. Quel plaisir pour les yeux et pour l'oreille quand résonne la musique de Mozart dans le parc du château de Würzbourg ou celle de Bach à Ansbach, quand gronde l'orgue à l'église Saint-Laurent de Nuremberg ou à la cathédrale de Bamberg, quand les joyaux du Théâtre des Margraves à Bayreuth se disputent les faveurs du spectateur – auditeur. A l'extrême sensibilité dans les différences s'ajoute la diversité la plus grande, aux fanfares du Palais des Festivals de Bayreuth se mêlent les scies musicales tirées de l'oeuvre de Valentin Rathgeber: «Délice musical pour l'oreille et pour le coeur». Dans le grand orchestre franconien il est difficile de reconnaître du premier coup le nombre et la nature des instruments. Voilà par exemple six cuivres qui s'efforcent de rendre une qualité harmonique aux mélodies ressassées lors de la procession matinale des Rogations ou lors du pélerinage à Gößweinstein. Et ils font preuve de la même application que les joueurs de cor de chasse et les musiciens de la fanfare municipale le jour de la fête patronale ou du concours de tir. Il ne faut même pas essayer de parler dans ces cas-là: le son de la voix est couvert par celui des trompettes et des trombones. Mais pendant les temps d'arrêt entre les morceaux, avant ou après la messe ou à l'apéritif il faut dresser l'oreille pour percevoir toutes les nuances du dialecte, tant celui-ci varie d'un village à l'autre; vert et cru dans le choix des expressions, terreux comme la vigne, sensuel et concret, est le dialecte l'instrument auquel se confie le Franconien, prudent par nature, et pourtant vif, malicieux et prompt à la répartie. S'il est vrai que le le bruit des faux est devenu aussi rare que le martèlement de la forge, des sonorités nouvelles s'échappent des usines et des ateliers. Mais à l'écart des autoroutes et de leur vacarme monotone la nature chante encore ses mélodies et, au bord des rivières, les roues des moulins tournent toujours. Les vers de Friedrich Schnack conservent toute leur vérité: «Les sources chantent sous les tilleuls/Les essaims d'abeilles jaillissent/Comme une lumière dorée».
Dans le silence à peine toublé des forêts il faut écouter le concert que donnent les oiseaux et, entre le village et les champs, prêter l'oreille

can only hear the song of birds, while the meadow air is filled with the chirping of crickets and the ponds with the croaking of frogs. The names of the fields and woods, the wine-growing areas and the wines they produce are like an echo of Nature herself, accompanied by a constant chorus of bells ringing in ones, twos, threes or whole peals from the numerous church towers.

TOUCH

"The soft air of May enters the house through open doors and windows. Its coolness greets us in every room, where the air dances to its heart's content."
(Max Dauthendey)

It is not enough for us simply to look and listen. We must run our fingers along the stone or wooden drapery of a statue or hold a Creußen tankard, a china jug from Selb, glassware from the Spessart or traditional Franconian textiles in our hands too. We don't really know what the atmosphere of a stalactite cave or a castle dungeon is like until we have felt their cold dampness; the same is true for the crystal-clear freshness of a stream flowing down from chalk hills or the pleasurable warmth of the Steigerwald. One of the methods, incidentally, of treating patients at the numerous Franconian spas is to use water which is fresh and warm. Plasticity of form combined with the silky smoothness of inlays or the tradition embedded in carved work can only be felt by running our hands over old Franconian furniture or the models of ancient harpsichords. These are symbols of aesthetic theory transformed into living works of art and are full of the kind of rhythm we feel when going up one of the many staircases in Franconia: the staircase outside a town hall or monastery; the spiral staircase in a country house or castle; the uneven, paved stairs cut into the streets of a little Franconian town on a hillside; the steep steps along the way of the Cross and up a path running through a vineyard; or the brightly-lit staircase in the palace at Würzburg, Ebrach or Pommersfelden – always exhilarating to climb. It is only when climbing these that we really sense the dynamism and human elation which were present in the spirit of the age – a dynamism which is also felt in the breathtaking sweep and movement of the pairs of stone pillars, vaults and arches which surround the circular altar of miracles designed for the Basilica of Vierzehnheiligen by Balthasar Neumann.

au chant des grillons et au coassement des grenouilles. Les noms des terroirs et des forêts, ceux des villages de vignerons et ceux des vins sont comme un écho de la richesse sonore de cette nature, une richesse soulignée trois fois par jour (ou même plus) par l'appel d'innombrables cloches aux timbres différents.

TOUCHER

«Par les fenêtres ouvertes et par les portes
L'air de mai se faufile dans la maison
Tu peux sentir son souffle frais dans tous les couloirs
Il danse tout son saoûl comme une danseuse»
Max Dauthendey

Il ne suffit pas de voir et d'entendre. Il faut encore suivre du doigt le drapé d'une statue de pierre ou de bois, tout comme il faut prendre dans la main une cruche de Creußen, une porcelaine de Selb, un cristal du Spessart ou un tissu de Franconie. Pour savoir ce qu'est une grotte ou une oubliette il faut avoir senti leur froide humidité; et comment parler d'un ruisseau du Jura sans évoquer sa fraîcheur et sa limpidité? Que serait le Steigerwald sans la chaleur bienfaisante qui y règne? Les nombreuses stations thermales de Franconie doivent leur action curative à ces températures modérées. C'est au toucher que s'éprouvent la plastique et le poli soyeux des marqueteries d'un meuble ancien ou d'une sculpture sur bois de style franconien, ou encore d'un clavecin exécuté d'après des modèles anciens. Ainsi les masses et les proportions ne restent pas du domaine de l'esthétique théorique: elles acquièrent une présence particulière par la forme qu'elles prennent. Elles sont d'ailleurs inséparables du rythme qui s'imprime aux jambes quand on monte un des nombreux escaliers de la région: le perron d'un hôtel de ville ou d'un monastère, l'escalier en colimaçon d'un château-fort, la côte au pavé inégal dans une petite ville accrochée aux collines franconiennes, le chemin de croix en pente raide, le sentier abrupt dans les vignes, ou bien (et c'est une sensation toujours renouvelée) un des escaliers d'apparat de Würzbourg, Ebrach ou Pommersfelden. C'est en marchant que nous pouvons le mieux saisir le dynamisme et la gaieté propres à une époque. Il en va de même pour la ronde que Balthasar Neumann a mise en scène sur l'autel miraculeux placé au centre de la basilique de Vierzehnheiligen; cette ronde est elle-même entraînée dans le ballet endiablé que mènent des colonnes et des voûtes à la légèreté aérienne. Le sens qu'ont les Franconiens pour les formes fuyantes

The Franconian love of flowing forms and soft curvatures and its aversion to all that is irregular or disordered is shown in the things of everyday life: in a bottle of local wine – the famous "Bocksbeutel" – which is, perhaps, "the most typical of all Franconian products" (Horst Krüger). This is the wine that belongs to the costly yet treasured ceremony of wine drinking in Franconia. Turning a bottle round in our hands, feeling its shape and testing the temperature of the wine, then opening the bottle slowly, pouring out a glass and taking a first sip may seem like "the erotic prelude to a feast given by Bacchus" (Horst Krüger). Max Dauthendey, who came from Würzburg and died on Java, puts it in the more direct manner of the Franconians: "Under your blouse your breasts lie/Excitedly I fondle them/Hold them like grapes in my trembling hands/And joyfully drink as Moses did/When he reached the Promised Land/Thirsty from the desert."

et les courbes s'exprime aussi dans la vie quotidienne par le «Bocksbeutel», «la chose la plus franconienne qui soit» (Horst Krüger). Cette bouteille fait partie du cérémonial compliqué et passionnément observé qui entoure la dégustation du vin. Le simple fait de prendre cette bouteille en main, de la palper pour en reconnaître la forme et la température, de l'ouvrir avec précaution, de verser le vin et de goûter une première gorgée, voilà qui est en vérité un «prélude presque érotique à la fête bacchique» (Horst Krüger). Max Dauthendey, le poète de Würzbourg, mort à Java, le dit d'une manière plus directe encore, plus franconienne: «Sous ta chemise tes petits tétons/Plein de désir je les cherche à tâtons/Comme des raisins que pèse ma main./Je m'y délecte, tel Moïse/Venu du désert égyptien/Jusque dans la Terre Promise»

SMELL

"Our thoughts are gently carried by the scent of blossoms and the air of May through the blue sky to the land of the worthy Franconians".
(Viktor von Scheffel)

SENTIR

«Dans le parfum des fleurs et les senteurs de mai S'envolent les pensées Dans l'air bleuté elles courent pour leur plaisir Vers le bon pays des Franconiens»
Viktor von Scheffel

If we visit the traditional wine growing areas when the grapes are being harvested a sweet, heavy smell of putrefaction will greet us, almost as strong as the smell in vaulted cellars of mash, grape husks and must decomposing and fermenting as the wine matures. As soon as the aroma of home-made bread and freshly-baked onion tart wafts through the air, then it is time to drink the new wine and celebrate. But the gamut of smells found in Franconia is wider than this. It includes those of freshly-picked fruit, mushrooms, berries, sweet sugarbeet and smoke from bonfires built in autumn to burn up the leaves and stalks of potato plants. These are evidence of Franconia's rural aspects, as is the smell of newly-turned earth in ploughed fields – and with the succession of seasons the symphony of odours is rounded off by the smell of hay, corn, the second cut of grass and large dung heaps.

It is traditional for the Franconians to go straight from an incense-filled church into the smoky atmosphere of an inn, before taking home the blessing they have received. Inns which used to brew their own beer grew their own hops too, but their dry, fruity

Visiter à l'automne les vieux villages de vignerons c'est être saisi par les effluves d'une douce pourriture, par cette odeur que seule dépasse en intensité celle qui se dégage des caves voûtées, quand dans les exhalaisons de la trempe, du marc et du moût la décomposition et la fermentation provoquent le mystère toujours renouvelé de la maturation du vin. Quand s'y mêle le parfum suave d'un pain cuit à la maison ou celui plus insistant d'une tarte à l'oignon, impossible de mettre fin à la fête du vin nouveau! Mais la gamme des parfums ne s'arrête pas là: elle inclut aussi bien l'arôme des fruits que l'odeur des champignons, des baies, des betteraves et des feux de pommes de terre à l'automne. Elle révèle bien l'élément paysan qui est propre à la Franconie; avec les exhalaisons qui s'échappent de la terre fraîchement labourée les odeurs des foins, des blés et du fumier s'harmonisent pour composer au fil des saisons une véritable symphonie champêtre. – Selon un usage bien établi le Franconien passe directement des nuages d'encens de l'église aux vapeurs de tabac du cabaret; il ne porte donc pas directement à la maison la bénédiction qu'il a reçue dans le lieu saint. L'odeur âcre et piquante du houblon, autrefois si répandue, est devenue plus rare de nos jours. Mais le goût douceâtre du malt flotte toujours à certains moments sur des quartiers entiers des grandes villes franconiennes. Le

smell is a rarity now. When the weather breaks though, the sweet, sickly odour of malt still pervades the air in many town quarters in Franconia. And at the local kermis or when first communion, confirmation and weddings are celebrated the air is full of the smell of doughnuts and biscuits, while at Christmas fairs held throughout Advent gingerbread baked from the recipes of the Mainbernheimer or of the Nürnberger "Peterlesboum", nutmeg biscuits from Dettelbach and other delicacies made of honey, almonds, nuts and aromatic spices excite the palates of adults and children alike. The Church's calendar is marked by sweet-smelling produce from the gardens, fields and woods and this is used to decorate replicas of the Holy Sepulchre, altars used in the May and Corpus Christi processions, churches at harvest festival time and the graves in cemeteries. Before winter sets in medicinal herbs which have been left to dry in the attics are taken down, sorted and prepared for use. And if we listen to a serenade on a peaceful summer's evening in one of the many palace grounds or rose gardens we will always retain the smell of box trees and yew hedges, mixed with the memory of the music and the play of light and shade. We will then grasp what the Romantics, who rediscovered the individuality of Franconia, were trying to achieve with their use of the literary device of synaesthesia – namely, the fusion of all the sensory impressions.

jour de la fête patronale, de la première communion, de la confirmation ou du mariage il y a dans l'air une odeur de beignets (Krapfen) ou de petits gateaux (Küchla); pendant l'Avent, sur les marchés, ce sont les pains d'épices de Mainbernheim, de Nuremberg et de Dettelbach, et toutes les autres confiseries au miel, aux amandes, aux noix et aux épices qui font la joie des petits et des grands. Le cycle de l'année liturgique est ponctué par des offrandes odorantes venues des jardins, des champs et des bois; celles-ci sont d'usage notamment pendant la Semaine Sainte, au mois de mai, à la Fête-Dieu, à la fête d'action de grâce pour la récolte et sur les tombes au cimetière. Avant le début de l'hiver on retire les herbes médicinales du grenier et on les trie pour les conserver ensuite en lieu sûr. Enfin, qui a jamais assisté à un concert par un beau soir d'été dans une roseraie ou dans le parc d'un château conserve pour toujours le souvenir d'un parfum de buis et d'if associé au son de la musique et aux jeux de l'ombre et de la lumière; on comprend mieux dans ces conditions ce que les Romantiques (qui, soit dit en passant, ont redécouvert la personnalité franconienne) ont voulu atteindre par le moyen littéraire de la synesthésie.

TASTE

"The noble wine of Franconia gives a man fresh strength and courage"
(Johann Mohr 1664)

GOUTER

«Le suc des nobles ceps franconiens Redonne force et courage»
Johann Mohr (1664)

Although the knowledgeable travellers of the eighteenth century found much to criticize in Franconia they still had to admit with some degree of jealousy that the ecclesiastical gentlemen certainly knew how to pick out the best areas: for there isn't a religious foundation in Franconia which doesn't own the most fertile ground – and Franconia was, after all, the prototype of church-controlled regions in the Empire. This would tally with reports of earlier witnesses who talked of "prolific vineyards, cornfields and orchards, together with an abundant growth of good onions, saffron, melons and fruits of a similar kind" (Martinus Zellerus, 1660). Throughout the ages Nature has showered her gifts on Franconia and the many typical Franconian inns tempt us to turn

Les voyageurs du siècle des Lumières, malgré toutes leurs critiques à l'égard des traditions franconiennes, ont dû reconnaître non sans une pointe d'envie que les gens d'Eglise savaient choisir les meilleurs endroits: il ne se trouvait point de maison religieuse – et l'on sait que la Franconie avec toutes ses maisons religieuses est la porte d'entrée de la «Rue des Prélats» de l'Empire – qui n'eût pas les sols les plus fertiles et les terres les plus grasses de toute la province. Les témoins des époques antérieures parlent tous avec une belle unanimité «du vin, des céréales, des arbres fruitiers, de la réglisse et d'autres choses encore comme les oignons, le safran et les melons (Martinus Zellerus, 1660). La nature a toujours comblé la Franconie de ses dons et les menus des auberges, souvent aussi originaux qu'engageants, incitent à goûter aux savoureu-

in and try some of their culinary delights and specialities prepared from traditional recipes.

Germany's "little Italy" offers us a constant supply of delectable dishes: succulent asparagus or horse radishes sold by the market women throughout Franconia and right down into Bavaria; trout from the river Wiesent and carp from the ponds in the Aisch and Aurach valleys; pike and small fish from the Main around Würzburg; or something substantial like pig's trotters and pickled cabbage, a vineyard worker's snack of bread, sausage and gherkins or different kinds of Franconian dumpling. These should be white and well-done inside so that they can absorb the gravy when torn open. The range of different grilled sausages begins with those as small as our little finger in Nürnberg and moves on through those which are a little longer and eaten "two in a roll" in Bamberg. It includes the fat, well-spiced sausages of Coburg and those sold by the metre in Sulzfeld, and is concluded by sausages which are simmered gently in a sour onion brew and "Bauernseufzer" – sausages which have been hung up in the chimney to smoke for a few days. The visitor who likes something a little out of the ordinary would be well-advised to try Franconia's moderately-priced menu.

The tasty dishes of Franconia can best be enjoyed with a glass of beer brewed in one of the numerous small breweries: beer which is pale, dark or medium in colour, drawn direct from the barrel or bottled as "smoked beer" and served in half-litre glasses or tankards, which in Ochsenfurt are shaped like owls. "A cup of coffee without a 'Hörnla' (special crescent in Bamberg), is just as a kiss without a 'Schnörnla' (moustache)." Now the borders between the countries of the beer drinkers and the wine drinkers have become fluid, but E.T.A. Hoffmann who despised beer as a "characterless, insipid drink which only dulls the mind and makes a man drowsy" would have refuted Jean Paul and Hegel in their emphatic praise of the drink. Both wine and beer, though, open up the Franconians, "the most sanguine of all the Germans" as Heuss called them, and show them to be quick-witted and shrewd, despite their mistrust of all that is new and unaccustomed. They do not need strong stimulants for this, simply the expected satisfaction of their palates.

ses spécialités gastronomiques et aux recettes traditionnelles. La «petite Italie» d'Allemagne réserve bien des joies exquises aux palais les plus délicats: les succulentes asperges ou le raifort vendu jusque sur les marchés de Bavière, les truites de la Wiesent et les carpes des étangs de l'Aisch et de l'Aurach, le sandre et les poissons du Main («Meefischli») de Würzbourg, ou des nourritures plus substantielles comme le chou ou le pied de porc, pour ne pas parler du casse-croûte du vigneron (Häckerbrotzeit) avec des cornichons ou des boulettes de fécule à la franconienne (Kloß, Klüs, Kniedla). Il faut que ces boulettes soient blanches et bien cuites pour absorber la sauce du rôti quand on les coupe en morceaux. Le ballet des saucisses grillées commence avec celles de Nuremberg, guère plus grosses qu'un doigt; il se poursuit à Bamberg, où on les aime plus longues et à raison de «deux dans un petit pain»; Cobourg en offre qui sont aussi grosses, aussi grasses et aussi bien grillées; à Sulzfeld, enfin, c'est par mètres qu'on les vend! Mais n'oublions pas non plus ces saucisses à la couleur bleutée, cuites dans un bouillon d'oignons ni les «Bauernseufzer», ces saucisses fumées à la cheminée pendant quelques jours. Quiconque a gardé un peu de palais fera bien de goûter à cette cuisine franconienne, aux prix d'ailleurs très modérés. Pour accompagner un repas savoureux rien de tel qu'une de ces bières brassées dans les nombreuses petites brasseries de la région: blonde, brune, «moyenne» ou fumée, la bière est servie dans des verres d'un demi-litre ou dans des chopes qui, à Ochsenfurt, ont la forme de hiboux. «Un café sans croissant, c'est (du moins pour les Bambergeois) comme un baiser sans moustaches». – La frontière entre le pays de la vigne et le pays de l'orge tend à s'estomper et si E.T.A. Hoffmann a pu qualifier avec mépris la bière de «mixture sans âme et sans esprit, qui abrutit et qui endort», Jean Paul et Hegel sont là pour le contredire avec leur éloge quelque peu emphatique de la bière. Ces deux boissons ont en tout cas le mérite d'ouvrir l'esprit au Franconien («de tous les Allemands le plus sanguin», disait Heuss) et de le montrer sous son vrai jour: avec toute sa malice et son esprit de répartie, et aussi sa méfiance à l'égard de ce qui est nouveau et étranger. Pour cela il n'est pas besoin de stimulants bien forts, il suffit de satisfaire les plaisirs de son palais.

EPILOGUE

"Pan the shepherd plays his pipe
and the world is drowsy from
the wine of sleep".
(Friedrich Rückert)

If we give ourselves time to relax from the bustle of everyday life, and are willing to do so, then we are invited to be a guest at the Franconian feast for the senses. Of course Franconia has its sober, working reality too: the world of industry and technology. It still has some eminent citizens, following on in the tradition of Peter Henlein, Martin Beheim, Adam Riese and Regiomontan, even though the proximity of the East-West German border has cut off many valuable outside influences.

Sensuality and the keeness of the senses are not incompatible with spirituality, cannot be reduced to the level of sexuality and do not exclude the use of the intellectual faculties. The exhilaration of the senses, which finds artistic expression on the following pages, does not confine itself solely to the marriage of the senses, but forms a close bond with the para- and suprasensorial realms, whereby the sacred and profane mingle – and not only on famous wine labels such as "Abtsleite" (Abbot's Walk), "Paradiesgärtlein" (Garden of Paradise) and "Pfaffenberg" (Vicar's Hill). Cult and custom such as the "Walberlafest" and the "Fasalecken" link this world with the next and prevent us from falling into bigotry and intolerance. Fairytales and sagas tell us of numerous places inhabited by sprites and demons, and E.T.A. Hoffmann's ghosts who appeared from the glass of Stein wine his publisher was drinking haunt drunkards even today. At the witching hour many phantoms leave their caves; in the fragrant, jasmine-laden air of Pan's hour the cherubs, nymphs and shepherdesses climb down from the crumbling stone balustrades and mossy pedestals to dance gracefully amongst the flower-beds. And in the pale moonlight things begin to stir in the haunted palace in the Spessart. The palace of Sanspareil is the most exquisite example of such a delicate game with feelings which hover between the realms of dream and reality. Its artificial grottos were transformed in the fantasy of the highly-sensitive marchioness Wilhelmine, sister of Frederick the Great, into the grotto of Calypso, its groves into the island of Ogygia. Here dream and reality were woven into one and became a Franconian "exemple sans pareil": an unparalleled example.

EPILOGUE

«Le berger Pan joue de la flûte
Et le monde s'enivre d'un vin
Qui invite au sommeil»
Friedrich Rückert

A cette fête des sens en Franconie est invité quiconque en prend le temps et se laisse entraîner dans la danse pour oublier les soucis quotidiens. Bien sûr, il y a aussi en Franconie un monde plus prosaïque, celui du travail, de la science et de la technique. Cette Franconie – là a des fils illustres (Peter Henlein, Martin Beheim, Adam Riese, Regiomontan) et elle ne le cède en rien aux autres régions, même si la frontière interallemande toute proche a quelque peu isolé ses marches septentrionales.

Mais l'excitation des sens, aussi aigue soit-elle, n'est pas incompatible avec l'intelligence, elle ne se réduit pas à la sexualité et n'exclut pas l'usage des facultés intellectuelles. Cette volupté, qui trouve son expression figurée dans les pages suivantes, ne reste pas centrée sur elle-même, elle entretient aussi d'étroites relations avec tout ce qui est para- ou suprasensoriel: le profane s'y mêle au sacré et cela ne se limite pas aux étiquettes des bouteilles de vin telles que Abtsleite (= le Chemin de l'Abbé), Paradiesgärtlein (= le Jardin du Paradis), Pfaffenberg (= le Mont des Curés). Le culte et les coutumes (comme par exemple la fête de Walberla ou le défilé carnavalesque des Fasalecken) relient l'au-delà à l'ici-bas et préservent les hommes de la bigoterie et de l'intolérance. Les contes et légendes nous parlent souvent des kobolds et des démons, et les fantômes d'Hoffmann, surgis du vin de Stein, hantent toujours les buveurs. A l'heure des revenants les spectres sont nombreux à sortir de leur grotte. Et dans la senteur du jasmin, à l'heure de Pan, les Putti, les bergères et les nymphes sautent de leur balustrades à la peinture écaillée ou de leurs piédestals couverts de mousse pour se lancer dans une ronde galante entre les plates-bandes. Et dans la pâle clarté de la lune le château hanté s'anime dans le Spessart. Le plus charmant témoignage d'un tel jeu de sentiments hésitant entre le royaume du rêve et celui de la réalité nous est fourni par le château de Sanspareil. Par la fantaisie de cette femme si sensible qu'était la margrave Wilhelmine, soeur de Frédéric le Grand, les grottes artificielles sont devenues la grotte de Calypso et les bosquets une nouvelle île d'Ogygia: les rêve et la réalité se mêlent ainsi en un «exemple sans pareil».

Nürnberg
Dürerplatz mit Tiergärtnertor und Burg

Peter Vischer
1455-1529
Detail vom Sebaldusgrab
Sebalduskirche

Nürnberg

Adam Krafft 1458-1509
Lorenzkirche Sakramentshäuschen

Der „Englische Gruß" von Veit Stoß 1439—77
Nürnberg Lorenzkirche

Forchheim Rathausplatz

Alter Wegkreuz
bei Merkendorf

Weihnachtskrippe
Ludwig bei Bamberg

Starkengschwind
alter Gemeindehaus

Hexen im Faschingszug
von Geisfeld

Berkheim
dorfbrunnen
1569

Ettleben (Schweinfurt)
1710

Trieb, Brunnen 1787
vormals Langheim

Alte fränkische Brunnen

Scheßlitz bei Bamberg   in der Osterzeit werden nach altem
Brauch in Franken die Brunnen geschmückt

Freienfels bei Hollfeld

Giechburg/Scheßlitz
bei Bamberg

Fränkische Schweiz   Heroldsmühle
(wird inzwischen leider abgebrochen um einem
Neubau Platz zu machen)

Erlangen

Zeil/Main

Bayreuth
neues Schloß

Bayreuth
Markgräfliches Opernhaus (1748)

Schloß weissenstein Pommersfelden

Pottenstein
fränkische Schweiz

Tüchersfeld (fränk. Schweiz)

hier wurde ein altes Haus abgebrochen, um einem Neuen Platz zu machen

Auch unter der Erde zeigt Franken überragende Schönheiten. eine Vielzahl bedeutender Tropfsteinhöhlen sind in der Fränkischen Schw

Luisenburg im Fichtelgebirge
Felsenlabyrinth

mittelalterliche Doppelbrücke

Rothenburg/97

Historische Spiele

Rothenburg o/tauber
Röderbogen mit Markustor

Rothenburg ob der Plönlein.

St. Georgenbrunnen aus
Rothenburg / Rathaus

Dinkelsbühl

Kitzingen

200 Jahre alt ist der wohl älteste Weinkeller Deutschlands —
in welchem bei besonderen Anlässen die Kitzinger Karnevalsgesellschaft ein Kellerspiel veranstaltet.

Bad Windsheim

Ellingen

KÖNIGSBERG i/GRABGAU ↑ Geburtshaus des großen Mathematikers und As

neu Regiomontanus

tochter schützet. In dem nehst dar
Johānes vō Königsperg tugalie
TO
nischer
von fü
weißh
det. vn
achtpe
synsch
dere di
mit rec
Sixto
de zere
nochm

N Icolaus estensis der sich vm
nachfolgend gefangen vnd s
EN dem edeln Franckenland e
liat in ein dorff Niclaßhawsen
das in leben verschmehlich mer v

Johannes Müller
genannt
Regiomontanus
aus der Schedelschen Chronik
von 1493

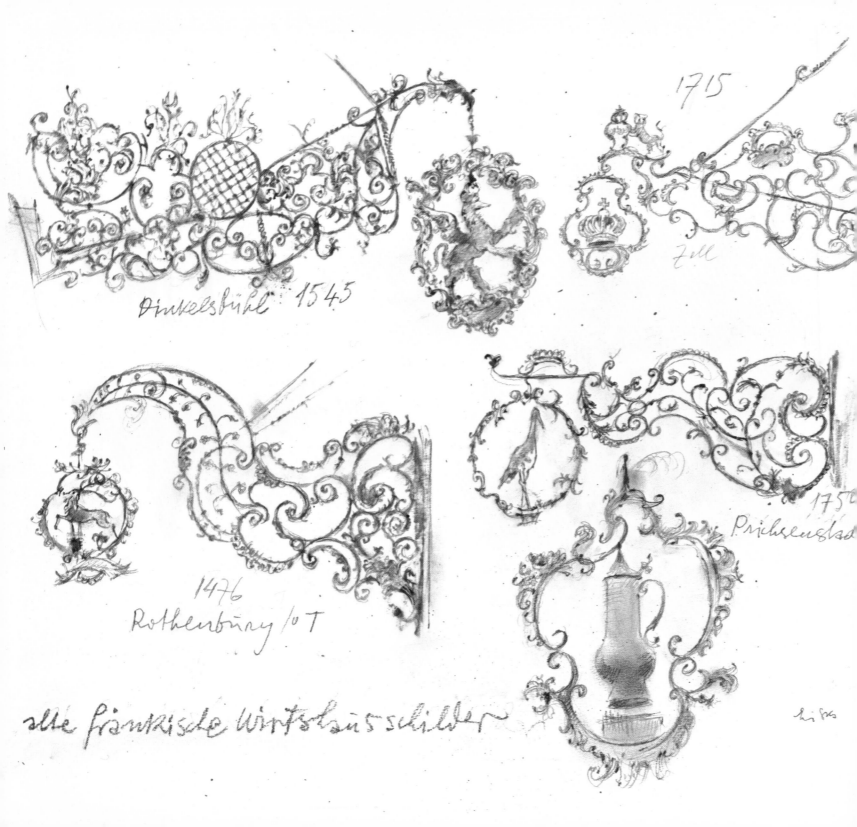

Dinkelsbühl 1545

1715

Zell

1476
Rothenburg /o T

1750
Prichsenstadt

alle fränkische Wirtshausschilder

Sulzfeld a. M.

Rödelseer Tor

Iphofen

Elisabeth
innerhalb

Tilman Riemenschneider
1463 - 1531
Selbstporträt vom
Creglinger Altar

Würzburg alte Mainbrücke

Giovanni Tiepolo hat auf seinem Deckengemälde
im Stiegenhaus der Residenz (1759) die Bildnisse
Balthasar Neumanns (sitzend) sowie des Bildhauers
Lukas Auwera (stehend im Mantel) gemalt

Würzburg (Residenz)

Treppenhaus von Balthasar Neumann / Deckenfresken von Tiepolo

Veitshöchheim
Großer See mit Pegasusgruppe (Ferd. Tietz)
1765-66

Hofgarten Veitshöchheim

Menuett-Tänzer (Ferd. Tietz 17 65/66)

Hofgarten
Veitshöchheim

Ferdinand Tietz 1708–1777
„Minerva"

„Der Frühling"

Miltenberg a/M

Marktplatz   am „Schnatterloch"

Schweinfurt
Rathaus (1570-72)

Bamberg   Alter Rathaus

Bamberg

ETA Hoffmann
lebte von 1808—1813
in Bamberg
am Schillerplatz, Haus Nr. 26
gegenüber seinem Theater

Burg Rabenstein / Fränkische Schweiz

Hof der Schloßes in
Aschaffenburg

Aufgang zur
Veste Coburg

Coburg die Veste gilt als
größte Burg Deutschlands

Kulmbach

Plassenburg Arkadengang

Fränkische Trachten

Staffelstein (Rathaus)
hier wurde 1492 der Rechenmeister Adam Riese geboren

Basilika Vierzehnheiligen
1743 –1772· von Balthasar Neumann

Wertheim

Heilsbronn
auf den Resten einer im Jahre 1132
errichteten Kapelle, heute ein etwa
um 1708 ein Fachwerkbau

Hasloch / der letzte Eisenhammer
im Spessart aus dem Jahre 1779

Sommerhausen Torturmtlester

1720

Bildstöcke in Franken
sind besonders häufig in dieser Landschaft zu finden

1767

1500

Volkach

»Maria im Weinberg«
mit der berühmten »Maria im Rosenkranz«
von Tilman Riemenschneider

Er sei zwar nicht das
Original - sehe ihm aber
sehr ähnlich behauptete
dieser „Lump"

GEBIETS-WINZERGENOSSENSCHAFT FRANKEN
c.G. Repperndorf
1975er
Qualitätswein mit Prädikat
Eiſcherndorfer Lump
Scheurebe   Kabinett
Amtl. Prüf-Nr.   4000/166/76   1
FRANKEN WEIN
ERZEUGER-ABFÜLLUNG

Escherndorf

Kronach

1472 wurde hier der Maler Lucas Cranach geboren

In vielen Orten stehen noch die alten
Backöfen in welchen heute noch
das gute Bauernbrot gebacken wird.

Weickersheim
Schlossplatz

Hausschlachtung

Weißenburg das Ellinger Tor

Mespelbrunn

NÜRNBERG Christkindlesmarkt

Nürnberger

Rauschgoldengel und Zwetschgenmännle

Nürnberg
Blick
zum Wohnhaus
Albrecht Dürers

Nürnberg 1945

Auch Franken hat durch den Krieg
furchtbaren Schaden erlitten. Städte wie
Nürnberg und Würzburg wurden zum
Großteil zerstört. Dessen sollten wir uns
ebenso erinnern, wie der Wiederaufbau=
leistung der Bürger.   H. L.

WÜRZBURG 16.III.1945

HANS LISKA, geboren in Wien, studierte nach dem Besuch der Kunstgewerbeschulen in Wien (Schüler des Kokoschka-Freundes Berthold Löffler) und München (Schüler von Emil Prätorius und Walther Teutsch) an der Kunsthochschule am Steinplatz in Berlin (bei Prof. Ferdinand Spiegel). Vorher war er nach Abschluß der Handelsschule als Buchhalter tätig und hatte sich nebenher als Klavierspieler die Mittel für sein Kunststudium verdient. Als zeichnender Reporter für die Ullstein-Zeitschrift „Berliner Illustrirte" und während des Krieges als Angehöriger einer Sonderstaffel in einer Propagandakompanie wurde er zum angesehenen Bildberichterstatter fast aller Kontinente. Bei seiner Begabung, „die Natur und den Charakter jeder Erscheinung" zu erkennen und ohne Flunkerei und „Zurückweichen vor dem Detail" (Walter Kiaulehn) wiederzugeben, nimmt er den Betrachter seiner Werke mit hinein in die Dynamik seiner bildnerischen Gestaltung. Dies gilt auch für sein reiches Schaffen, seit er im fränkischen Umland Bambergs eine neue Heimat gefunden hat, der er mit einigen Bilderbüchern bereits seine Reverenz erwiesen hat. Gleich rühmende Anerkennung fanden seine Bildbände über die Festspielstadt Salzburg sowie über Köln, wo er 1972 – wie in den folgenden Jahren in Bamberg, Berlin, Bremen, Dortmund, Frankfurt, Hannover, Kiel, Lübeck, München, Nürnberg, Schweinfurt und anderen Städten – Gelegenheit fand, einen repräsentativen Querschnitt durch sein unvermindert schöpferisches Arbeiten zu zeigen. Dieses Schaffen hat in Reihen wie „Flamenco und Toreros", „Ballettszenen", „Mozart-Opern" u.a., unverkennbar und eindrucksvoll von Liskas eigenwilligem Stil geprägt, einen künstlerischen Höhepunkt erreicht.

Anschrift: 8604 Scheßlitz, Oberend 15

JAKOB LEHMANN, geboren in Bamberg-Gaustadt, Dr. phil., ist ordentlicher Professor an der Universität Bamberg. Neben zahlreichen fachdidaktischen und literarhistorischen Veröffentlichungen stammen aus seiner Feder Untersuchungen zum literarischen Franken im Kontext des deutschen und europäischen (Franken – Wiege der Romantik. – E.T.A. Hoffmann in Franken. – Wagnis des Unzeitgemäßen – Bambergs literarische Bedeutung. – Fränkische Humanisten. –)

Anschrift: 8602 Memmelsdorf, Am Weingarten 12

Der ROTARY CLUB BAMBERG wurde im Jahre 1954 gegründet und erhielt 1955 seine Charter von Rotary International. Er umfaßt 45 Mitglieder – nach rotarischem Grundsatz von unterschiedlicher beruflicher Klassifikation. Das vorliegende Buch, dessen Ertrag zu kulturellen und sozialen Zwecken verwendet werden soll, gab er aus Anlaß seines 25jährigen Bestehens in Auftrag; es wird von Mitgliedern dieses Clubs, zusammengeschlossen in der ARGE Liska-Bücher, herausgegeben.

Anschrift: Rotary Club Bamberg, Postfach 2343, 8600 Bamberg

Die deutschen Texte übertrugen
ins Englische Bridgat R. Doloughan und
ins Französische Philippe Régerat.

HANS LISKA was born in Vienna and studied under Professor Ferdinand Spiegel at the College of Art, Steinplatz, Berlin, after attending the Schools of Commercial Art in Vienna (as a pupil of Kokoschka's friend, Berthold Löffler) and in Munich (as a pupil of Emil Prätorius and Walter Teutsch). Before that, and after completing a course at business school, he had been employed as a bookkeeper and had earned enough money to finance his art studies by playing the piano. As an illustrator for the Ullstein newspaper "Berliner Illustrirte", and during the war as a member of a special unit in a propaganda company, he became a respected press photographer on almost every continent. With his gift for recognising "the nature and character of every phenomenon" and for "reproducing it accurately and in detail" (Walter Kiaulehn) he is able to draw the viewers of his work into the dynamic force of his art. The same is true of the many books of pictures he has painted since coming to live in a village outside Bamberg-pictures intended as a mark of respect for his new Franconian homeland. His picture books on the festival town of Salzburg and Cologne have been highly praised; in Cologne in 1972, as in the following years in Bamberg, Berlin, Bremen, Dortmund, Frankfurt, Hannover, Kiel, Lübeck, Munich, Nürnberg, Schweinfurt and other towns, he had the opportunity of showing a representative cross-section of his undiminished creative work. This work has reached an artistic climax in series such as "Flamenco and Toreros", "Ballettszenen" and "Mozart-Opern" amongst others – all of them stamped by the unmistakable, impressive yet highly individualistic style of Hans Liska.

Address: 8604 Scheßlitz, Oberend 15.

DR. JAKOB LEHMANN was born in Bamberg-Gaustadt and is now Professor at the University of Bamberg. In addition to numerous publications on teaching methodology and the history of literature, he has also written a number of works on the literature of Franconia in its German and European context: Franken – Wiege der Romantik; E.T.A. Hoffmann in Franken; Wagnis des Unzeitgemäßen – Bambergs literarische Bedeutung; Fränkische Humanisten.

Adress: 8602 Memmelsdorf, Am Weingarten 12.

The ROTARY CLUB in Bamberg was founded in 1954 and awarded its charter from the Rotary International in 1955. It has a membership of 45, its members all being of different professions as laid down in the rules of the Rotary Organisation. This book is published on the occasion of the Club's 25th anniversary and edited by its members united in the "ARGE Liska Bücher". They have requested that the proceeds from the book shall be used for cultural and social purposes.

Address: Rotary Club Bamberg, Box 2343, 8600 Bamberg.

The German text was translated into English by
Bridget R. Doloughan and into French by Philippe Régerat.

HANS LISKA est né à Vienne; à sa sortie de l'école de commerce il a d'abord été comptable tout en jouant du piano pour pouvoir continuer ses études supérieures. Il a fréquenté l'Ecole des Arts Décoratifs de sa ville natale (où il a été l'élève d'un ami de Kokoschka: Berthold Löffler), puis celle de Munich (où il a été l'élève d'Emil Prätorius et de Walther Teutsch) et enfin l'Ecole Supérieure des Beaux-Arts de Berlin (où il a suivi l'enseignement du Professor Ferdinand Spiegel). Il a travaillé comme reporter – dessinateur pour la revue «Berliner Illustrirte» du groupe Ullstein. Affecté pendant la guerre à une unité dépendant des services de propagande, il est rapidement devenu un reporter – illustrateur connu sur presque tous les continents. Le don qu'il a de reconnaître «la nature et le caractère de chaque phénomène» et de reproduire celui-ci sans donner dans le clinquant ni pour autant «reculer devant le détail» (Walter Kiaulehn), ce don exceptionnel emporte le spectateur dans la dynamique de sa création formelle. Cette observation vaut aussi pour les oeuvres qu'il nous a données depuis qu'il a trouvé en Franconie une seconde patrie, dans les environs de Bamberg; il a d'ailleurs rendu hommage au pays franconien dans quelque uns de ses albums. Ses oeuvres ont tout de suite rencontré l'estime et même les louanges de la critique: d'abord à Salzbourg, la ville du Festival, puis à Cologne en 1972 et ensuite à Bamberg, Berlin, Brême, Dortmund, Francfort, Hanovre, Kiel, Lübeck, Munich, Nuremberg, Schweinfurt etc. où il a eu l'occasion à chaque fois de montrer les multiples facettes d'une oeuvre particulièrement féconde. Hans Liska a sans doute atteint le somment de son art dans des séries telles que «Flamenco et toreros», «Scènes de ballet», «les opéras de Mozart», qui toutes portent la marque de son style très personnel.
Adresse: 8604 Scheßlitz, Oberend 15

JAKOB LEHMANN, né à Bamberg-Gaustadt, docteur en philosophie, est professeur titulaire à l'Université de Bamberg. Il compte à son actif de nombreuses publications dans les domaines de l'histoire littéraire et de la didactique de la langue allemande; il est également l'auteur d'études sur la Franconie littéraire dans le cadre de la littérature allemande et européenne (La Franconie – berceau du romantisme; E.T.A. Hoffmann en Franconie; Au risque d'être inactuel; le rôle de Bamberg dans la littérature; Les humanistes franconiens.)

Adresse: 8602 Memmelsdorf, Am Weingarten 12

Le ROTARY CLUB DE BAMBERG a été fondé en 1954 et a reçu sa charte du Rotary International en 1955. Il compte 45 membres aux professions très diverses, conformément aux principes rotariens. Ce livre est publié à l'occasion du 25ème anniversaire du Club uni dans «l'ARGE Liska Bücher» et les recettes provenant de sa vente seront affectées à des dépenses à caractère culturel et social.

Adresse: Rotary Club Bamberg, Postfach 2343, 8600 Bamberg.

Le texte allemand a été traduit en anglais per Bridget R. Doloughan et en français par Philippe Régerat.